PARIS
la Seine

Photographies : ***Xavier Richer***
Textes : ***Anne Cauquetoux***

Collection Petits souvenirs
Editions Pêcheur d'images - Editions Le Télégramme

Péniches d'habitations et Pont de Bercy

Vénus de pierre et de zinc, Paris est née des eaux, celles du fleuve qui la traverse,
des eaux de bronze où scintille l'argent quand le soleil s'en mêle.
Longtemps nourricière, industrieuse et affairée, la Seine est aujourd'hui plus tranquille,
et bien des péniches ont troqué leur charbon pour les joies plus bourgeoises du pavillon à quai.

Bras de Seine entre la rive gauche et la rive droite

Le fleuve, pourtant, ne fut pas toujours serein : avant l'histoire, il serpentait en un vaste méandre qui venait lécher le pied des collines de Belleville et de Montmartre. Il charriait dans son cours une poussière d'îles et d'îlots, patiemment rassemblés, empierrés, amarrés au cours des siècles. Il n'en reste plus que deux aujourd'hui : l'île de la Cité, que clôt à l'est la croupe arrondie de sa cathédrale, et l'île Saint Louis, un monde en soi, fermé et discret.

Sculpture de Barye dans le square éponyme, Ile Saint Louis

Dans cette île enclose sur ses splendeurs baroques,

tout nous parle du passé : boutiques désuètes ou pierres immobiles

sur lesquelles ont glissé tant de regards maintenant éteints.

Ainsi surgissent parfois les ombres furtives de souvenirs lointains.

Pont Saint Louis reliant l'Ile de la Cité à l'Ile Saint Louis

A voir ces eaux si calmes, bordées d'un trait de calcaire blanc,

on oublierait que la Seine fut jadis capricieuse.

Ses colères, pourtant, faisaient trembler les hommes.

Aujourd'hui jugulée entre les quais de pierre blonde, l'eau n'a plus

grand-chose à imposer aux troupeaux de maisons sages qui la regardent aller.

Quai d'Orléans, Ile Saint Louis

L'île de la Cité a, quant à elle, une histoire plus ancienne, qui remonte aux Gaulois. Nous voici donc au cœur de Paris : sur le parvis de Notre-Dame, le kilomètre 0 de toutes les routes de France a des airs de Genèse.

Succédant à des sanctuaires païens, la cathédrale patiemment fut bâtie, en plusieurs chantiers qui s'étalèrent sur deux siècles. Vue de dos, on la sent pleine d'élan, d'envolées contenues et de désirs de ciel.

Notre-Dame-de-Paris

Notre-Dame-de-Paris, détails de porte

Dentelle de pierre ou dentelle de fer, Notre-Dame chante inlassablement la victoire de la forme sur le néant, du combat des justes contre les méchants.

Sur les sculptures des cathédrales dansaient jadis les couleurs et les fonds d'or, et l'on a du mal à s'imaginer, aujourd'hui, l'éclat de ces livres d'images. Manants et gens de rien y lisaient l'histoire sainte sans connaître l'ABC.

Ces douze apôtres au doux sourire, blanchis par les ans, ne sont pourtant pas si vénérables : ils ont été restitués par Viollet-le-Duc au XIXe siècle.

Portail central de Notre-Dame-de-Paris

L'architecture gothique est art de la lumière.
D'immenses verrières, conçues comme des mosaïques colorées,
inondent de joie l'intérieur de Notre-Dame.
Sur la façade, sa grande rose rayonne comme un soleil.

Vitraux de Notre-Dame-de-Paris

Les bouquinistes face à Notre-Dame-de-Paris

Du musée d'Orsay au pont de Sully, et du Louvre au pont Marie, la Seine est aussi une gigantesque librairie. Vendeurs de vieux bouquins, de livres rares ou d'objets de pacotille, les bouquinistes s'alignent en rangs serrés, le long des quais, depuis plus de trois siècles.

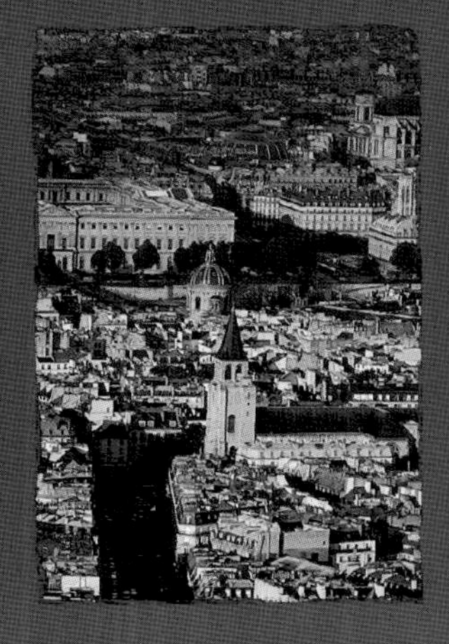

Le cœur de Saint-Germain-des-Prés

Rive droite, l'hôtel de ville, aux tourelles pointues, a des airs de petit château.
Le pouvoir municipal s'installe place de Grève, au Moyen Age, au milieu des marchands et des ports sur le fleuve : c'est la "Ville", commerçante, qui s'oppose à la Cité, administrative, et à l'Université, rive gauche, où étudient, turbulents, les jeunes gens.

L'hôtel de ville

Le Petit Pont

Les premiers points de franchissement enjambaient la Seine
là où sa largeur est la plus faible, entre la Cité et les deux rives.
Comment savoir, aujourd'hui, le bruit et la cohue de ces passerelles pleines de monde,
encombrées de maisons, de moulins, de pêcheries, de baraques et d'animaux ?

Le pont Saint Michel et le quai des Grands Augustins

De la Cité ancienne, berceau de Paris, il ne reste aujourd'hui plus grand-chose : Haussmann fit raser tous les vieux quartiers. Sur l'antique Juiverie s'est installé le marché aux fleurs, dont les fragrances embaument les quais - fleurs coupées, en pot, buis taillés et simples de balcon. Joueurs de limonaires et champions de skate-board envahissent aux beaux jours le vaste parvis de Notre-Dame ou le pont de fonte amarrant l'île à la terre ferme. La Seine d'ailleurs touche de sa grâce tout ce qu'elle caresse : ses quais, ses ponts, ses piétons.

Le marché aux fleurs sur l'Ile de la Cité

Traversant la Cité, on vient buter contre l'ancien palais des Capétiens, aujourd'hui palais de Justice. Délaissée par les rois de France dès le XIVe siècle, la forteresse abrita le Parlement de Paris, cour souveraine de justice, et sa prison, la Conciergerie, geôle de sinistre mémoire. Boulevard du Palais fut installée par Charles V la première horloge de la capitale. Celle qui la remplace remonte tout de même à 1583.

L'horloge du boulevard du Palais

Fermant l'île à l'ouest, le Pont-Neuf porte mal son nom : c'est le plus ancien de Paris. On fit, avec lui, un exploit : il était sans maison. Henri IV voulait que les Parisiens, de ses balustres, puissent admirer le fleuve et son palais - le Louvre.

Le Pont-Neuf

Statue d'Henri IV, Ile de la Cité

Le Pont-Neuf et l'entrée de la place Dauphine

Ouvert au public en 1803, le pont des Arts fut d'emblée dédié aux piétons et (n'en doutons pas) aux amoureux, avec ses orangers en pots et ses serres chauffées.
Les amoureux sont toujours là : on a d'ici la meilleure vue sur le triangle de verdure, débordant d'exubérance végétale, qui ponctue en beauté l'Île de la Cité.
Square du Vert-Galant, si frais, si beau, pointé dans l'eau, prêt à partir.

La passerelle des Arts

MASSENE
MASSENE

La passerelle des Arts et l'Institut

Que serait la Seine sans son armée de ponts ?
Sous la coupole de l'Institut, le pont des Arts s'étire jusqu'au Louvre ;
le pont Alexandre III, lui, poursuit docile l'axe viril des Invalides.

Le pont Alexandre III

Rigueur et courbes, toute la douceur d'un sourire : ainsi se lit la magie d'un fleuve qui nourrit de son limon les espérances et les joies des hommes.

Le pont Alexandre III

Le pont Alexandre III

Taches d'or et de lumière embellissent la nuit qui tombe.

Le pont Alexandre III

L'eau, qu'on a voulu dompter, se rappelle quelquefois au souvenir des hommes, dans le regard d'un dauphin, seigneur des profondeurs marines, ou plus prosaïquement sur la culotte du Zouave du pont de l'Alma : les parisiens mesurent les crues de la Seine aux tasses qu'il est, certaines années, forcé de boire.

Le Zouave du pont de l'Alma

La Tour Eiffel

Le pont d'Iéna fut ouvert à la circulation, sous Napoléon, entre Chaillot et le Champ-de-Mars. On n'imaginait pas encore que la tour Eiffel, reine de fer, le gênerait un jour de son ombre.

Le pont de Bir-Hakeim

La promenade, géographique, suit aussi le fil de l'histoire. A mesure qu'on avance vers l'ouest, tout à coup les berges prennent des airs de petit Manhattan. La statue de la Liberté, figure de proue de l'allée aux Cygnes, regarde le large, vers l'Amérique, depuis 1937. Cinq fois plus petite que sa sœur new-yorkaise, elle en a pourtant tout l'aplomb.

Statue de la Liberté et quartier Beaugrenelle

Quartier du Front de Seine

Le Front de Seine et ses gratte-ciels ont remplacé Grenelle.

Le pont Mirabeau

Après le XVe arrondissement, la Seine reprend sa courbure nonchalante.
Sous le pont Mirabeau, elle coule, déjà, vers d'autres horizons.
Commence bientôt un autre monde : la banlieue…

Paris of the Seine

Texts: Anne Cauquetoux

Rising like a Venus made of stone and zinc, Paris was born from the bronze waters of her river which sparkles like silver when mixed with sunshine.
For a long time, the Seine carried on the business of feeding and ferrying the people. Nowadays it is more tranquil with many of the barges having swapped their cargoes of coal for the more bourgeois pleasures of the quayside residence.
The river was not always placid however: in pre-history, it formed a huge meandering loop and lapped the foot of Belleville and Montmartre hills. In its wake, it carried along patiently collected grains which formed islands, laid down and moored in place over the centuries. Only two remain today – Ile de la Cité enclosed to the east by the rounded end of its cathedral and Ile Saint-Louis, a small world apart.
The island makes a good starting point. Created out of almost nothing, it was the result of one man's dream: in 1616, Christophe Marie, brought together two small, rural islands of alluvial mud and divided them up into plots. Within a few years, the former cow pastures were covered with "hôtels particuliers", tall white, private town houses with large windows.
The island shelters many baroque wonders and displays evidence of its past at every turn, from quaint shops to unchanging stonework over which so many have cast their now unseeing gaze. Occasional fleeting shadows of distant memories bubble up to the surface from this place's past.
The sight of the waters flowing so peacefully between the walls of chalk white stone makes it easy to forget that the Seine was once unpredictable. Its outbursts were enough to make men tremble. Today its waters, kept in check between pale stone quays, no longer pose any dramatic threat to the docile troop of houses which watch the river pass.
The history of Ile de la Cité is even older, dating back to the time of the Gauls. This is the very heart of Paris and, as if the country's lifeblood flows out from here, in the square in front of Notre-Dame can be found kilometre zero for all roads in France.

The cathedral was patiently constructed on top of previous pagan shrines and on several building sites over a period of two centuries. Seen from the back, it gives a vivid impression of being full of spirit and brimming with a (restrained) desire to take off and attain heaven.

The lacy stone and ironwork of Notre-Dame is a tireless hymn to the triumph of form over nothingness and of the struggle between good and evil.
Cathedral sculptures in the past were decked out in vibrant colours against a background of gold. Today it is difficult to imagine the brilliance of these vast "books" of images in whose pages paupers and peasants could read Biblical history despite not knowing their alphabet.
The twelve, gently smiling apostles are not, however, quite so venerably ancient having been restored by Viollet-le-Duc in the 19th century.
Gothic architecture is the art of light. Huge stained glass windows designed as mosaics of colour flood the inside of Notre-Dame with a glorious light, whilst the vast rose window on its façade shines like a sun.

From the Musée d'Orsay to Pont Sully and from the Louvre to Pont Marie, the Seine is also like one gigantic bookshop. Booksellers, offering old and rare books or simply bits of junk, line up in serried ranks along the quayside as they have done for more than three centuries.
On the right bank, the "Hôtel de Ville", or city hall, with its little, pointed turrets is like some small chateau. The municipal authorities moved into the Place de Grève in the Middle Ages, to a quarter of merchants and river ports: here lies the commercial centre of Paris, the "Ville", as opposed to the Cité, or administrative centre, and as opposed to the university quarter on the left bank, where unruly students pursued their studies.
The first crossings over the Seine were at its narrowest points opposite each bank of the Ile de la Cité. It is almost impossible to imagine today the noise and crush on these footbridges full of people and crammed with houses, windmills, fisheries, stalls and animals.
Little is left today of the historic Cité, cradle of Paris: Haussmann had all the old quarters razed. The old Jewish ghetto made way for the flower market and the air of the quays is now heavy with the scent of cut flowers, potted plants and clipped and natural box for balcony displays.

On fine days, the square in front of Notre-Dame and the cast-iron bridge linking the island to terra firma are invaded by organ-grinders and skateboarders. Some of the gracefulness of the Seine touches everything it caresses – quays, bridges and pedestrians.

Crossing the Ile de la Cité, brings you up in front of the historic palace of the Capetians, now the Palais de Justice, or law courts. Abandoned by the kings of France from the 15th century, the fortress housed the Parlement de Paris, supreme court of justice, and its prison, La Conciergerie, a gaol with a sinister past. On the Boulevard du Palais, Charles V had the first clock in the capital installed. The current one which replaced it still dates as far back as 1583.
The Pont-Neuf, (or "New Bridge"), which encloses the island to the west, belies its name, as it is in fact the oldest bridge in Paris. It was something of an achievement, as it was built without a single house on it. Henri IV wished the people of Paris to be able to admire the river and his palace - the Louvre - from its parapet.
Opened to the public in 1803, the Pont des Arts, with its orange trees in pots and heated glasshouses, was from the beginning dedicated to pedestrians and unquestionably to lovers. It is still a place for lovers: the Pont des Arts offers the best view of the Square du Vert-Galant, a fresh, green triangular space overflowing with plants which forms a beautiful prow on the stone vessel of the Ile de la Cité.

What would the Seine be without its army of bridges? From beneath the cupola of the Institut de France, the Pont des Arts stretches away as far as the Louvre whilst the Alexandre III Bridge obediently carries forward the thrust of the main arterial route from Les Invalides.
The magic of the river lies behind its harsh yet sensuous nature and the way it nourishes the hopes and pleasures of its people from its muddy depths. Touches of gold and light add to the beauty of nightfall. The water we have sought to tame sometimes reminds us of its true nature, perhaps through the expression in a sculpted dolphin's eye, or more prosaically through the measuring of the Seine's floods by Parisians against the trousers of the statue on the Pont Alma and the mouthfuls of floodwater he is some years forced to swallow.

Iéna Bridge was opened to traffic between Chaillot and the Champs-de-Mars under Napoleon. No one at the time could have visualised the day when that queen of ironwork, the Eiffel Tower, would overshadow it.

The walk not only involves geographical exploration but also traces a path through history. The further west we go, the more the banks of the river suddenly seem like Manhattan in miniature. The Statue of Liberty, figurehead of the Allée au Cygne, has faced the open sea and America since 1937. Five times smaller than her New York sister, she nonetheless possesses an equal measure of composure.

The Front de Seine and its skyscrapers have replaced Grenelle.

Beyond the 15th arrondissement, the Seine resumes its carelessly curving route. Flowing under the Pont Mirabeau, it is already heading for other horizons and is now at the edge of another world – that of the suburbs.

Post-Scriptum

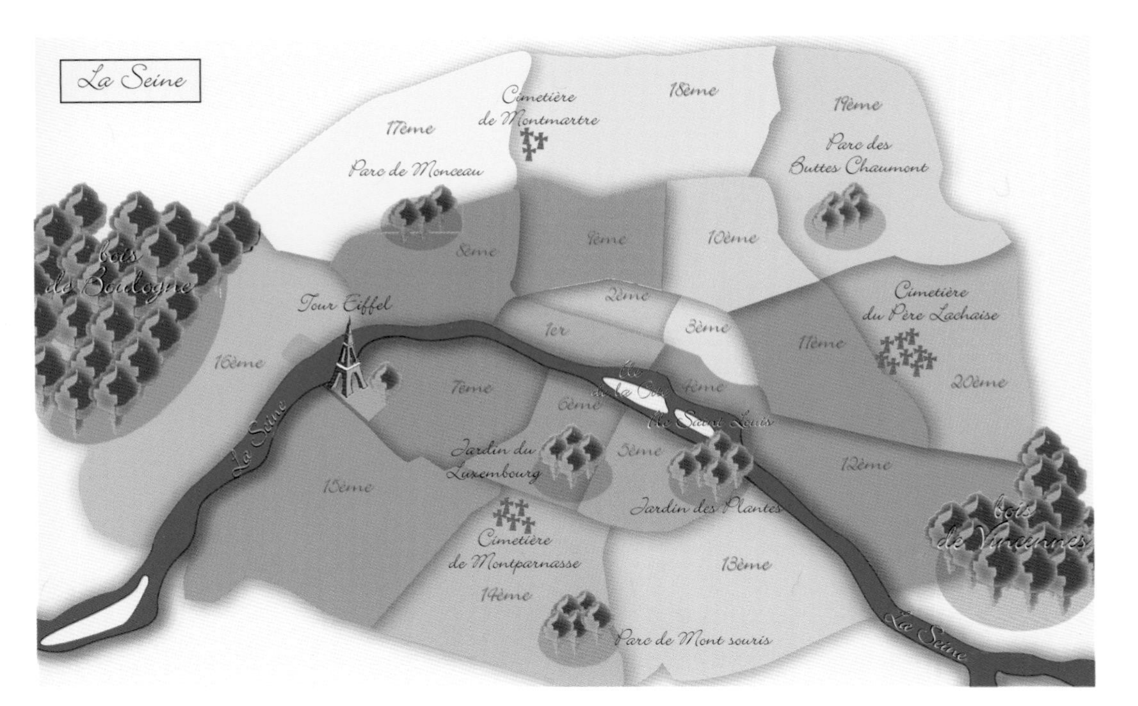
La Seine
17ème
Cimetière
de Montmartre
18ème
19ème
Parc de Monceau
Parc des
Buttes Chaumont
bois
de Boulogne
8ème
9ème
10ème
Tour Eiffel
2ème
Cimetière
du Père Lachaise
1er
3ème
11ème
16ème
Île
de la Cité
4ème
20ème
7ème
6ème
Île Saint Louis
La Seine
Jardin du
Luxembourg
5ème
12ème
15ème
Jardin des Plantes
bois
de Vincennes
Cimetière
de Montparnasse
13ème
14ème
Parc de Mont souris
La Seine

Collection Petits souvenirs

La route des Quatre Phares • Rade de Brest • Petite Mer d'Etel • Phares en Iroise
Belle-Isle-en-Mer • De la Trinité à Saint-Philibert • Baie de Morlaix • Phares de Bretagne Sud
Phares de Bretagne Nord • La Côte de Granit Rose • La Côte de Goëlo
Le Golfe du Morbihan • Médoc • Entre-Deux-Mers • Saint-Emilion
Paris, la voie triomphale • Paris, Montmartre

Collection Petits souvenirs
Edition : Editions Pêcheur d'images - Editions Le Télégramme
Maquette : Editions Pêcheur d'images
Photogravure : Imprimerie Le Govic, Nantes
Impression : SYL - Cornellà de Llobregat, Barcelone

Dépôt légal : premier trimestre 2002
ISBN : 2-914552-52-1

www.editions-pecheur-d-images.com • pecheur-d-images@pecheur-d-images.com
www.bretagne.com